आकाश को पढ़ा जाए

आकाश को पढ़ा जाए

श्याम कश्यप 'बेचैन'

लेखश्री पब्लिकेशन

ISBN : 978-81-905378-2-7

लेखश्री पब्लिकेशन
4695, 21-ए, दरियागंज,
नयी दिल्ली-110002
द्वारा प्रकाशित

संस्करण : 2015

मूल्य : ₹ 250.00

जी.एस. ऑफसेट, दिल्ली-110032 द्वारा मुद्रित

लेखश्री पब्लिकेशन, वाणी प्रकाशन की सहयोगी संस्था

समर्पण

लताजी

स्व. रूपदेव नारायण

को...

सचमुच तुम्हें लगेगा कि होगा मेरा कहा
बातें बना बना के कुछ ऐसी कहेंगे लगेगा।

आमुख

अपने बारे में लिखना दोधारी तलवार पर चलने जैसा है—फिर भी, संकलन का आमुख लिखने की परम्परा का पालन कर रहा हूँ।

मैंने साधारण किस्म की टूटी फूटी, आम हिन्दुस्तानी आवाम की जुबान में ग़ज़लें कहने की कोशिश की है। ख़यालों की ऊँची उड़ान या गहन चिन्तन का मैं दावा नहीं करता, मगर सहल जुबानी के कारण आम पाठक इन अशआर से दूरी महसूस नहीं करेंगे, ऐसी उममीद ज़रूर है, यही मेरा उद्देश्य भी रहा है।

इस्लाह के लिएमैं श्री शकील गवालियरी और श्री रौनक नईम साहबाने का शुक्रगुज़ार हूँ। ग़ज़लों को तरतीब देने से लेकर प्रूफ़ रीडिंग तक भाई प्रभुनारायण वर्मा और आनन्द बहादुर ने अथक परिश्रम किया है—वे मेरे मित्र हैं। श्री के. कुमार साहब के सद्प्रयासों से आज यह पुस्तक आपके हाथों में है उनका मैं ह्रदय से कृता हूँ।

—**श्याम कश्यप 'बेचैन'**

अनुक्रम

है कोई बून्द समंदर भी, झाँककर देखो
कभी तो लफ़्ज़ के अंदर भी, झाँककर देखो

न सिर्फ सड़कें ही देखो ग़ज़ल की वादी में मेरे
ख़याल के मंज़र भी, झाँककर देखो

यूँ तो शैतान का घर है ये दिल, मगर इसमें है एक
मस्त कलंदर भी, झाँककर देखो

हवा के रूख़ पे ओं मस्तूल तानने वालो
खुला है या नहीं लंगर भी, झाँककर देखो

न फूलो देख के हाथों में उनके गुलदस्ते
छुपा गुलों में है ख़ंजर भी, झाँककर देखो

ज़मीं को जंग में करना फ़तह मगर पहले
है इसमें दफ़्न सिकंदर भी, झाँककर देखो

सफ़र है, सफ़र में सबर रख के चल
कहाँ है तू इसकी ख़बर रख के चल

कहीं तुझको बहका के भटका न दें
तू अपनी नज़र पर नज़र रख के चल

चला ही है जो सच के रस्ते में तो
जवां मर्द जैसा जिगर रख के चल

दुआ दिल की है, कोई बोझा नहीं
ज़रूरत नहीं है मगर, रख के चल

जो कहना ही है तुझको, कह के ही उठ
न दिल में ज़रा भी कसर रख के चल

खिंचा आये काबा जहाँ सर झुके
तू सज्दे में इतना असर रख के चल

गोखरू की शक्ल में तब्दील थी
पाँव में कब से गड़ी यह कील थी

ख़ुश्क रेतों के सिवा कुछ भी नहीं
कल जहाँ एक ख़ूबसूरत झील थी

खा गयी किरनों की सारी मछलियाँ
बादलों की ओट में जो चील थी

क्या अंधेरों ने सबक सिखला दिया
रात हाथों में लिये कन्दील थी

अश्क आँखों में लिये गुल हँस पड़े चहचहाते
हुक्म की तामील थी

इक धुंधलका था, जो पर्दा बन गया
ज़िंदगी वरना बहुत अश्लील थी

अर्से के बाद आज इधर से उधर गया
अच्छा हुआ जो बाढ़ का पानी उतर गया

पीने चला समुद्र, हिमाकत तो देखिए
कच्चा घड़ा पसीज के फूटा, बिखर गया

अंदाज़ फ़ासलों के यक़ीं में सिमट गए
आँखों में जैसे मील का पत्थर उभर गया

क्या बात है, यहाँ पे पनपता नहीं है कुछ
शायद किसी दरख़्त का साया पसर गया

अच्छा हुआ, सुखों को लगाया नहीं गले
तपकर दुखों की आँच में कुछ तो निखर गया

गर्दो-गुबार ज़ेहन में छाए हैं अब तलक
सँकरी गली से भीड़ का रेला गुज़र गया

हर इक मसला, वहीं पर जस का तस है
बहस के बाद फिर आगे बहस है

वो कुछ भी कह के चौंकाते रहेंगे
उन्हें ख़बरों में जीने की हवस है

जहाँ चाहो, पकड़कर तुम दबा दो
ये सारा जिस्म ही कमज़ोर नस है

जो क़ातिल है, वही जब हँस रहा है
तुम्हारे दिल में क्यों इतनी हदस है

क्या तुमने आईना देखा नहीं है
तुम्हें औरों पे क्यों आती तरस है

बरस कर ही रहेंगे आज बादल
हवाओं में बहुत गहरी उमस है

कभी चुपड़ी हुई रोटी मिलेगी
हमारी कल्पना कितनी सरस है

हाय घुट-घुट के अपने अंदर लोग
प्यास से मर गये समंदर लोग

चाहते हैं शहर की रौनक़ हों
रंग रोग़न लगा के खण्डर लोग

क्या मनायेंगे जश्ने-हरियाली
सब्ज़ कपड़े पहन के बंजर लोग

मिल रहे हैं बड़े खुले दिल से
कुछ छुपाए हुए हैं अंदर लोग

अम्नोमिल्लत के गीत की धुन पर
भाँजने लग गये हैं ख़ंजर लोग

आदमी को अलग-अलग कर के
एक हो जायेंगे पयम्बर लोग

घुट रही थी कई महीने से
आज निकली तड़प जो सीने से

दिल की मंज़िल तलक पहुँचना था
चढ़ गया मैं, हँसी के ज़ीने से

उम्र भर तैरना नहीं आता
लाग रखता अगर सफ़ीने से

धुल गया रोम-रोम मेरा वजूद
कल नहाया जो मैं पसीने से

अपना सुख-दुख सुना ही देता हूँ
मैं लिपट कर ग़ज़ल के सीने से

खुश्क जंगल की मर गई सड़कें ज़र्द
पत्तों से भर गई सड़कें

चोटियों तक पहुँच ही जायेंगी
खाइयों में उतर गई सड़कें

जाने कैसी घड़ी में निकली थीं
लौट कर फिर न घर गई सड़कें

बह गए पुल उफ़नते पानी में
अचकचा कर ठहर गई सड़कें

कितना दहशत भरा था सन्नाटा
अपने आहट से डर गई सड़कें

नाम उनके शहर का सुनते ही कुछ
ज़ेहन में उभर गई सड़कें

दूर टीले तलक दिखीं जाते
फिर न जाने किधर गई सड़कें

डाल के अपने थके जिस्म को बिस्तर की तरह सो
गये ओढ़ के हम नींद को चादर की तरह

भागता हूँ जो उजाले से तो मेरा साया
दौड़ता है मेरे आगे किसी रहबर की तरह

अपने हाथों पे भी होता नहीं है आज यक़ीं
कि धँस न जायें कहीं पीठ में ख़ंजर की तरह

आज उन अपने उसूलों को रहन रख आया
मैंने रखा था जतन से जिन्हें ज़ेवर की तरह

इसे उतार के हल्का भी मुझको होना है
मेरा वजूद मेरे सर पे है गट्ठर की तरह

सारी दुनिया हरी भरी होगी
ये लड़ाई जो आख़िरी होगी

आप बैसाखियों पे चलते हैं आप
से ख़ाक रहबरी होगी

कोशिशें गर दिखावटी होंगी
क़ामयाबी भी ऊपरी होगी

आज जो फ़ाख़्ते उड़ाते हैं
उनके हाथों में कल छुरी होगी

रेत नीचे की अब तलक नम है
कोई नद्दी यहाँ मरी होगी

बोल देना बहार आयेगी
कोई पत्ती अगर हरी होगी

हम जब तेरे ख़याल में गहरे उतर गये
आँखों के सामने कई चेहरे उभर गये

बतला रही हैं आपके माथे की सलवटें
कितना हिला के आपको तूफ़ाँ गुज़र गये

बौनी हैं इन बुलन्द दीवारों की चौखटें
इस घर में जो भी आये झुका कर वो सर गये

कह कर कि उँगलियों पे नहीं नाचने के हम
धागे से टूट-टूट के दाने बिखर गये

कैसे किसी लकीर को देखोगे ज्योतिषी
मेरे तमाम हाथ तो छालों से भर गये

उन आइनों पे धूल की पर्तें चढ़ी मिलीं
जिन आइनों के काँच से पारे उतर गये

यह कौन से मुकाम पे आए हुए हैं हम
अपने ही घर में आज पराए हुए हैं हम

मासूम बेजुबान हो, सबकी नज़र में तुम
किससे ये अब कहें कि सताए हुए हैं हम

माथे पे बल है चाँद के, तारों को है मलाल
देहरी पे जो चिराग़ जलाए हुए हैं हम

हिन्दोस्तान नाम है इस मुल्क का मगर
घर घर को एक मुल्क बनाए हुए हैं हम

कोटर से फूटती है डगर नाग-लोक की
आँगन में जो दरख़्त लगाए हुए हैं हम

कंधों पे चाहते नहीं तिनके का बोझ भी
सर पर मगर पहाड़ उठाए हुए हैं हम

उतने तो सितारे भी नहीं आसमान में
सीने में जितने दाग़ छुपाए हुए हैं हम

मैं अपने को अक्सर मरा देखता हूँ
न पूछो ये क्या माज़रा देखता हूँ

कभी देखता था जहाँ पर हवेली
वहीं आजकल मकबरा देखता हूँ

ये माटी के पुतले कहीं गल न जायें
हर इक सिम्त पानी भरा देखता हूँ

कोई हादसा हो गया क्या शहर में
जिसे देखता हूँ डरा देखता हूँ

यही सोचकर, कोई बाहर तो होगा
हरेक शख़्स का कटघरा देखता हूँ

मेरे दिल का मिलती है थोड़ी सी ठंडक
किसी पेड़ को जब हरा देखता हूँ

लगता है डूब जाएगी आगे बहाव में
चींटी दुबक रही है जो पत्ते की नाव में

बहरे भी सुन रहे हैं मेरी ख़ामुशी की चीख़
कुछ बोलना फिज़ूल है अपने बचाव में

इक दिन तो आपका भी बग़ावत करेगा दिल
कब तक रहेगा कोई किसी के दबाव में

बेखोट तो सोने के भी ज़ेवर नहीं बनते
लाज़िम है थोड़ा खोट अगर हो सुभाव में

कब का चला गया हे वो फूलो से मार कर
अब तक मगर बसी है महक दिल के घाव में

इस डगर कुछ लोग तो कुछ उस डगर जाते हैं दोस्त
काफ़िले चलने से पहले ही बिखर जाते हैं दोस्त

इस बिना बुनियाद की छत के तले तू बैठ मत
रेत के घर की तरह ये घर भहर जाते हैं दोस्त

यह कोई माया की नगरी है यहाँ से भाग चल
शाम होते ही यहाँ सब लोग मर जाते हैं दोस्त

यार मुर्दों के शहर में लाश बनकर ही रहो
देख कर ज़िन्दा यहाँ इन्सान डर जाते हैं दोस्त

घेर लेती है अचानक भीड़ ख़्यालों की हमें
एक पल भी जब कभी तन्हा ठहर जाते हैं दोस्त

फ़िक्रे-दुनिया को भुलाती है ग़ज़लगोई की धुन
गुनगुनाते ज़िन्दगी के दिन गुज़र जाते हैं दोस्त

आँधियों की शक्ल में, झंडे फहर जाते हैं दोस्त
ऊब कर जब लोग सड़कों पर उतर जाते हैं दोस्त

फूटते ज्वालामुखी, लावे बिखर जाते हैं दोस्त
लोग जब बर्दाश्त की हद से गुज़र जाते हैं दोस्त

अब तो सड़कों को यहाँ समतल बनाना चाहिये
सीढ़ियों के इस शहर में पाँव भर जाते हैं दोस्त

वो चमक उठते हैं सूरज की तरह आकाश में
लोग जो अंधी सुरंगो में उतर जाते हैं दोस्त

कुछ नई चालाकियाँ वो ले के आते हैं ज़रूर
गाँव के मुखिया हमारे, जब शहर जाते हैं दोस्त

आज नहीं तो कल के करते पक्के वादे फिरते हैं
सर पर अपने कर्ज़े की गठरी हम लादे फिरते हैं

भूल गये सब, पड़े गिरस्ती के चक्कर में जब से हम
कोल्हू के बैलों सा हम अब खुद को फाँदे फिरते हैं

उनमें से हम भी इक हैं जिनके घर भूँजी भांग नहीं
लेकिन छैला बन कर अपने साहबज़ादे फिरते हैं

हम ग़रीब घर के लड़के से गाँठ जोड़ देते लेकिन
बिटिया के सपनों की गलियों में शहज़ादे फिरते हैं

किससे खुल कर दुख बतियायें, किसको यहाँ कहें अपना
सब के सब तो नकलीपन के ओढ़ लबादे फिरते हैं

जब तक कुर्सी पर थे, तब तक हम शाहों के शाह रहे
अब तो भीड़ भरी सड़कों पर बने पियादे फिरते हैं

होता नहीं जिस्म से अब तो कोई काम ज़ईफ़ी में
फिर भी दिल में कुछ करने के लिए इरादे फिरते हैं

कैसी मिली है हमको विरासत में ज़िन्दगी
कटती है साँस-साँस हिरासत में ज़िन्दगी

कुछ और गुल खिलायेगा अब ताज़िराते वक़्त
है कटघरे के बीच, अदालत में ज़िन्दगी

ख़तरे की आहटों से धड़कता रहा ये दिल
हरदम पड़ी रही मेरी साँसत में ज़िन्दगी

फिर भी वही फ़रिश्ते हैं जिनकी गुज़र गयी
शैतान की तरफ से वकालत में ज़िन्दगी

खिड़की से झाँक कर ये लगा, क्यों गुज़ार दी
ख़ुशफ़हमियों की बंद इमारत में ज़िन्दगी

राह घनघोर है, जहाँ मैं हूँ
धुंध हर ओर है, जहाँ मैं हूँ

कान देता नहीं कहीं कोई
शोर ही शोर है, जहाँ मैं हूँ

मन मरूस्थल की तरह सूखा है
तन सराबोर है, जहाँ मैं हूँ

ऐसी गुत्थी है ज़िन्दगी, जिसका
ओर ना छोर है, जहाँ मैं हूँ

फूल रोते हैं शबनमी आँसू
मातमी भोर है, जहाँ मैं हूँ

सिर्फ मैं ही नहीं अंधेरे में
हर कोई चोर है, जहाँ मैं हूँ

खूब भरता है कान पर्दों के
घर चुग़लख़ोर है, जहाँ मैं हूँ

पैर मज़बूत हैं, कुचलते हैं
हाथ कमज़ोर हैं, जहाँ मैं हूँ

मूँद आँखें थकान में गुम था
लोग समझे कि ध्यान में गुम था

वो भी अपने गुमान में गुम था
मैं भी अपने जहान में गुम था

ज़लज़ला जब ज़मीन पर आया
उस घड़ी आसमान में गुम था

वो हक़ीक़त को जानता कैसे
ज़र्रा-ज़र्रा वो कान में गुम था

क्या समझता वो शेर के मानी
वो तो लुत्फ़े-ज़ुबान में गुम था

क्या हुआ, पीछे अगर शिकवा गिला करते हैं लोग
सामने तो गर्मजोशी से मिला करते हैं लोग

पास आते ही सभी पत्थर के हो जाते हैं क्यों
दूर से मानिन्द परदों के हिला करते हैं लोग

आदमी से प्यार करने के लिए कहता हूँ जब
पास के थाने में जाकर इत्तिला करते हैं लोग

वे हमेशा से फहरते ही रहे हैं आज तक
रूख़ हवाओं का समझ कर जो हिला करते हैं लोग

गाड़ देते हैं वहीं इंसानियत की लाश को
जिस जगह से कूच अपना काफ़िला करते हैं लोग

है कहाँ अपनी ज़मीं, जुड़ कर कहें जिससे ग़ज़ल
आज कल तो सिर्फ़ गमलों में खिला करते हैं लोग

बाहर से देखने के लिये भीड़भाड़ है
अंदर से वह मकान तो बिल्कुल उजाड़ है

सिर पे नहीं साये के लिये कोई झाड़ है
लोगों की ज़िन्दगी यहाँ चटियल पहाड़ है

इन हादसों के दौर में मत ढूँढ़िए सुकून
सब के दिलोदिमाग़ में बस मारधाड़ है

सूखे से बच गये हैं तो डूबेंगे बाढ़ में
इस साल दुर्बलों के लिये दो अषाढ़ है

एकटक वो घूरते हैं फ़क़त आसमान को
उनकी नज़र में कोई न तिल है न ताड़ है

पुष्प का यदि चयन नहीं करते
कंटकों पर शयन नहीं करते

शब्द विस्फोट से निकल जाते
भाव अंतर्दहन नहीं करते

आप इस्पात बन नहीं सकते
ताप जब तक सहन नहीं करते

किसका होता चरित्र मानस में
राम यदि वनगमन नहीं करते

यज्ञ तब तक अपूर्ण है जब तक
अपने "मैं" का हवन नहीं करते

भक्ति का स्वाद वे क्या जानें जो
भूख सहकर भजन नहीं करते

जब भी पीते हैं छक के पीते हैं
मात्र हम आचमन नहीं करते

धीरे धीरे आसमाँ को लील
उड़ रही है एक काली चील

आ गई है नाक में पहने
शाम हीरे की चमकती कील

जल उठा है गैस सूरज का
बुझ रहा है चाँद का कन्दील

आसमां में घूमते बादल
हो रहे हैं शक्ल में तब्दील

बीच में बजरे सरीखा घर
हर तरफ हरियालियों की झील

जिस्म आपस में गुँथे हैं पर
दूर दिल से हैं हज़ारों मील

देखता हूँ क्या मैं टी.वी. पर
ज़ेहन में क्या घूमती है रील

महज़ एक दोस्ताना अर्ज़ है, समझे कि ना समझे
उसे समझाना मेरा फ़र्ज़ है, समझे कि ना समझे

ये वैसे तो बहुत ही साफ और बेबाक बातें हैं
मगर उसको वहम का मर्ज़ है, समझे कि ना समझे

घुमा कर बात कहने पर समझने का वो आदी है
मेरा कहने का सीधा तर्ज़ है, समझे कि ना समझे

जिसे मैं सामने उसके कभी भी कह नहीं पाया
मेरी ख़ामोशियों में दर्ज है, समझे कि ना समझे

जो सीखा मैंने दुनिया से बताकर ही वो जाऊँगा
मेरे सर इल्म का यह कर्ज़ है, समझे कि ना समझे

ना रोना सबके आगे अपनी लाचारी का रोया कर
यहाँ हर आदमी खुदगर्ज़ है, समझे कि ना समझे

वो दिल में सोचते क्या हैं, हुआ यह इल्म जब हमको
कहा हमने कि आदाबअर्ज़ है, समझे कि ना समझे

शायरी सुबहो-शाम करते हम
बस यही एक काम करते हम

कुछ अगर ज़िन्दगी पे बस चलता
उसको ग़ज़लों के नाम करते हम

भूख आड़े अगर नहीं आती
खुद को अपना गुलाम करते हम

घर की याद आ गई यहाँ, वर्ना
और कुछ दिन मुकाम करते हम

कर दिया हाथ जोड़ शर्मिन्दा
काश पहले सलाम करते हम

चुप हैं महफ़िल का देख रूख़, वर्ना
राज़ कुछ ख़ास, आम करते हम

कुछ इस तरह शिकंजे में वह सियह वक़्त के कसता है
जैसे पिघले डामर के डबरे में बछड़ा धँसता है

हमलावर तेवर हैं सबके, सब अपनी ही ज़द में हैं
अपना अपना अस्ला सबका, अपना अपना दस्ता है

अपनी रोटी जूझ के, खट के, अपने से ही पाना है
छीना झपटी के आलम में किसको कौन परसता है

अंदर से खुश हो, कुरेदते हैं वो हमदर्दी जतला
क्या अपने हम मुँह से बोलें हाल हमारा ख़स्ता है

जब भी पाँव धरा उस चौखट के भीतर, तो लगा मुझे
जैसे धागे का कोई रेशा सुई के छेद में फँसता है

काश उठा सकता मैं नीली छतरी सी भारी छतरी
उपर से झीलों के चेहरे पर तेज़ाब बरसता है

कपड़े जैसा उधड़ उधड़ कर, जगह जगह से फ़टता है
मेरा मैं, हालात के हाथों कुछ इस तरह घिसटता है

धज्जी धज्जी कर डाला मुझको तेरे अहसानों ने
तेरा नमक, मेरी रग रग में घुल कर बम सा फटता है

घाटों और किनारों पर क्यों बंदूकें हैं तनी हुई
पंछी के पीने से क्या दरिया का पानी घटता है

उसको क्या मालूम कि इक दिन उसमें ख़ुद बँध जायेगा
मुझे बांधने की ख़ातिर जो अक्सर रस्सी बँटता है

आज नहीं तो कल ही सही वो क्या है हक़ीक़त समझेगा
आँखों के आगे से पर्दा हटते हटते हटता है

चाहत ख़्वाबी
समझ किताबी

काली बदली
रात नक़ाबी

चुभती ख़ुश्बू
दर्द गुलाबी

ख़ालिस बातें
नियत खिज़ाबी

इश्क करे क्या
ज़ेहन हिसाबी

तन सूफ़ी का
मन क़स्साबी

इतने गहरे हैं जब जुबानी में
क्यों उतरते नहीं हैं पानी में

ताकि कुछ तो लगे हक़ीकत सी
और कुछ जोड़िए कहानी में

हमको हरगिज़ समझ नहीं सकते
आप रहते हैं बदगुमानी में

सच नहीं बोलते तो क्या होता
फँस गये हम ग़लतबयानी में

तंगदस्ती ने इस क़दर मारा
हो ना पाये जवाँ जवानी में

आये पानी को बाँधने लेकिन
आप ही बह गये रवानी में

एक-एक पल सुबह से बोझिल हुआ
आज का कटना बड़ा मुश्किल हुआ

हाथ कैसे आएगा कोई सुराग़
मेरा साया ही मेरा क़ातिल हुआ

जंग में अंधों को कैसे हो पता
कौन किसके वार से बिस्मिल हुआ

वर्ना मर जाता कुचल कर भीड़ में
इसलिये मैं दौड़ में शामिल हुआ

यक़बयक़ हो जायेंगे ख़ारिज सभी
मामला मेरा अगर दाख़िल हुआ

दिल का लोहू मथ के निकला शेर जो
बस वही इज़हार के क़ाबिल हुआ

दरिंदगी से न मिलती निजात है यारो
हरेक दिन यहाँ जंगल की रात है यारो

खुलेगा उस पे कटोरों का कारख़ाना इक
दबा मशीन के नीचे जो हाथ है यारो

किसी को बूंद मयस्सर नहीं है पानी की
किसी के हौज में आबे-हयात है यारो

किसी के वास्ते दुनिया की हर ख़ुशी ग़म है
किसी के वास्ते ग़म ही निशात है यारो

सुबूत ढूँढ़िये मत, कीजिये दफ़ा क़ायम
हमारी जात ही मुजरिम की जात है यारो

यहाँ पे बात न करिये वतनपरस्ती की
यहाँ पे मुल्क से बढ़ कर जमात है यारो

जंग की ख़्वाहिश न दिल में, ज़ेहन में गारद न हो
गर हमारे और तुम्हारे बीच में सरहद न हो

वहृम की दीवार को पहले ढहाकर देखिए
बन्दापरवर दिल से दिल का फ़ासला शायद न हो

फ़ैसला मैदाने-महशर का ही ये बतलायेगा
शाह आलमगीर शायद मुजरिमे-सरमद न हो

बंद होकर, तंग दुनिया में है जीने की ललक
हो भले अहसास बेहद का मगर बे हद न हो

आप यूँ ही आये हैं, होता नहीं दिल को यक़ीन
मेरे घर पे आप आयें, और कोई मक़सद न हो

बोल कर एक लफ़्ज़ मुझको आपने उलझा दिया
सोचता हूँ बीज के अंदर कोई बरगद न हो

किनकी आँखों में गड़ गयी बस्ती
बसते-बसते उजड़ गयी बस्ती

धुन गयी रूई की तरह बेदम
रेशा-रेशा उघड़ गयी बस्ती

पेड़ सी हो गई ज़मीं नंगी
ज़र्द पत्तों सी झड़ गयी बस्ती

सह न पाई हवा ज़माने की
साँस जैसी उखड़ गयी बस्ती

चंद तिनके थे उड़ गये वे भी
बनते बनते बिगड़ गई बस्ती

चित्र तेरे अदेखे उतारे बहुत
कल्पना के नयन से नीहारे बहुत

तू यहीं हैं कहीं, बस यही सोचकर
नाम ले कर तेरा हम पुकारे बहुत

नित तेरे आगमन की प्रतीक्षा में हम
द्वार देहरी को घर के, सँवारे बहुत

फिर भी तुझसी नहीं है किसी में चमक
यूँ तो अंबर में हैं चाँद तारे बहुत

इसकी तह में छुपा है समन्दर कोई
नैन के नीर लगते हैं खारे बहुत

ढाई आखर के मंतर न मन से जपे
मुख से वैदिक ऋचाएँ उचारे बहुत

सर के उपर फूस की छानी तो है
आपकी इतनी मेरबानी तो है

बच गये सूखे से हम तो क्या हुआ
डूबने को बाढ़ का पानी तो है

एक मुट्ठी ही सही खाने के बाद
पेट भरने के लिए पानी तो है

सिर्फ गठरी भर गिरस्ती ठीक है
सिर पे ढो लेने में आसानी तो है

झोल खटिये की तरह बेदम सही
ज़िदगी का कुछ न कुछ मानी तो है

गर खुशी हासिल नहीं तो क्या हुआ
ग़म ग़लत करने की मनमानी तो है

तैरती रंगीन मछली जार में
घुट रही है काँच की दीवार में

यह फ़सल ज़रखेज़ दोआबे की है
बीज ख़ाबों के न बोओ थार में

बदलियाँ सावन में जब बरसी नहीं
अब बरस के क्या करेंगी क्वार में

जिनको सुलझाने थे मसले मुल्क के
वे उलझ कर रह गए घरबार में

छेडकर वो साज़, कब के जा चुके
है अभी तक झनझनाहट तार में

ओस है, लू भरी लहर भी है
यह सुबह भी है, दोपहर भी है

सब्ज़ रहते हैं खेत ज़ख़्मों के
दिल में शायद कोई नहर भी है

जीत के वास्ते लड़ा हूँ मैं
जंग में हारने का डर भी है

उसकी शीरीं ज़ुबाँ पे मत जाना
हाँ वो मीठा है, पर ज़हर भी है

लोग कहते हैं जिसको मेरा घर
उस तबेले में, मेरा घर भी है

छू ले सबके दिलों को, जोड़े भी
इससे बढ़ कर कोई हुनर भी है

ज़ाहिर है मेरा हाल तो ज़ाहिर किये बग़ैर
दिल मानता नहीं है मगर, फिर किये बग़ैर

हाथों में पड़ गया हूँ किसी कीमियागर के
ज़र्रे को न छोड़ेगा जवाहिर किये बग़ैर

झिर्री से मैं ख़यालों की सब देख रहा हूँ
ख़ुद को तुम्हारे सामने हाजिर किये बग़ैर

मुमकिन नहीं है आजकल रहना सुकून से
लोगों सा अपने आपको शातिर किये बग़ैर

मशहूर हो गया तो समझ लो बिगड़ गया
फ़नकार अपने आप को माहिर किये बग़ैर

हर बार दिल से चाहता हूँ बचपना न हो
दिल मानता नहीं है मगर, फिर किये बग़ैर

मरूस्थल में हरेपन की झलक है
मेरे ख़्वाबों में जंगल अब तलक है

पटक कर पाँव कब का जा चुका वह
अभी तक दिल की धरती में दलक है

चलेगी किस तरह लफ़्ज़ों की कश्ती
किसी सूखी नदी जैसा हलक़ है

चिता को देख कर रोता ना समझो
धुएँ से हो गई गीली पलक है

जो है हलचल मचाने पर उतारू
किसी अधजल सुराही की छलक है

करने लगी ठिठोली धूप
सूरज की मुँहबोली धूप

पूरब की देहरी पर देखो
बना रही रंगोली धूप

खेल रही नटखट लड़की सी
हमसे आँखमिचौली धूप

झाँक रही, छुप कर बादल में
क्या खेलेगी होली धूप

हिलमिल जाती है सब के संग
कितनी है यह भोली धूप

हम छतरी ताने हैं वरना
सबकी भरती झोली धूप

उर्दू कहेंगे लोग, ना हिन्दी कहेंगे लोग
मेरी ग़ज़ल को सिर्फ ग़ज़ल ही कहेंगे लोग

मिट जाएँगे ज़ेहन से ज़बाँ के तमाम भेद
दिल की सुनेंगे लोग तो दिल की कहेंगे लोग

सचमुच तुम्हें लगेगा कि होगा मेरा कहा
बातें बना बना के कुछ ऐसी कहेंगे लोग

पागल समझ के जिसका उड़ाते हैं सब मज़ाक मरने
के बाद कल उसे सूफ़ी कहेंगे लोग

मैं क्यों कहूँ कि मैं भी हूँ शायर मंजा हुआ
पढ़ पढ़ के मेरे शेर को ख़ुद ही कहेंगे लोग

सर पे ढो आसमान गौरैया
भर रही है उड़ान गौरैया

चहचहा सुबह की कचहरी में
दे रही है बयान गौरैया

क्या है चुगने को, फिर भी रखती है
मेरे आंगन की शान गौरैया

चोंच से चोंच में चुगाती है
अपने चूज़ों को धान गौरैया

जेठ की ठेठ धूप में करती
नल के तल पर स्नान गौरैया

सर पे मँडरा रहे हज़ारों बाज
एक नन्ही सी जान गौरैया

अब तो रॉकेट का ज़माना है
क्या रखेगी गुमान गौरैया

शीशे की दीवार में बंद
मछली तड़पे जार में बंद

सब कुछ है अंधियार में बंद
सूरज काले ग़ार में बंद

घूम रही कश्ती सी दुनिया
गिर्दाबी रफ़्तार में बंद

किसने इकतारा छेड़ा है
सब कुछ है झनकार में बंद

फूँको फूँको ज़ोर से फूँको
लपटें हैं अंगार में बंद

बरखा इन आँखों में बसना
होना जब तुम क्वार में बंद

अब अदब में बहस जो जारी है
कुल मिलाकर दुकानदारी है

नशा अब तक वो मुझपे तारी है
कौन कहता है ये ख़ुमारी है

छिड़ गयी थी जनम से पहले जो
अब तलक वह लड़ाई जारी है

ठूँठ बीड़ी के, बलग़मों के निशां
रात किसने यहाँ गुज़ारी है

मेरे ख़्वाबों के अक्स हैं इसमें
किसने तस्वीर यह उतारी है

मेरी दौलत मेरे तजुर्बे हैं
आप के पास जानकारी है

उसके आगे क्या हाथ फैलाऊँ
वो तो मुझसे बड़ा भिखारी है

पहले दिल से निकाल देते हैं
फिर हम उनकी मिसाल देते हैं

ताकि टिक जायें और अंगारे
राख ऊपर से डाल देते हैं

उनके चेहरे बुझे बुझे ही हैं
जो सुलगते सवाल देते हैं

जब भी रोटी की बात चलती है
आप नारे उछाल देते हैं

क्या यहाँ आदमी नहीं बसते
नाक पर क्यों रूमाल देते हैं

पूछिये मत सिफ़त पसीने की
ये लहू को खंगाल देते हैं

ये भी मुद्दा है कोई , ये कह कर
लोग मसले को टाल देते हैं

सच वो बेवा है अपने लोग जिसे
घर से बाहर निकाल देते हैं

फुनगियों के बड़े बड़े पत्ते
ये न पूछो कि क्यों झड़े पत्ते

खाद बन जाएँगे सड़े पत्ते
मत उखाड़ा करो गड़े पत्ते

जिनमें नरमी थी, बस बचे वे ही
झड़ गए सब कड़े कड़े पत्ते

रूख़ हवा का समझ नहीं पाये
जाहिलों की तरह लड़े पत्ते

पेड़, हारे जुआरियों की तरह
फेंकते हैं खड़े खड़े पत्ते

मत कर मगर से बैर अरे यार शिवचरन
चुपचाप सिर्फ़ तैर अरे यार शिवचरन

मत कर हवा में सैर अरे यार शिवचरन
खूँटे में बाँध पैर अरे यार शिवचरन

पानी में गिर पड़ा है फिसल कर तो क्या हुआ
डुबकी लगा के तैर अरे यार शिवचरन

मत चल क़दम मिला के ज़माने के साथ-साथ
खुद को लिये बग़ैर अरे यार शिवचरन

करना है घर की बात तो बाहर निकल के कर
घर में भरे हैं ग़ैर अरे यार शिवचरन

यह कोई साज़िश थी चीलों की
मछलियाँ जो मरीं झीलों की

देखकर शहरों की हालत को
याद आती है क़बीलों की

अब के झण्डे ख़ूब फहरेंगे
फ़स्ल अच्छी है करीलों की

सच तो कुचले ही गए अक्सर
भीड़ में दबकर दलीलों की

देख लो ईसा नहीं हूँ मैं
झुक गयी है नोक कीलों की

सब के सब काले हैं अंदर से
बात मत कर लाल पीलों की

असमंजस में रह रह के
हार गये हम सह सह के

सब है शहर में, पर घर की
याद आती है, रह रह के

मेरा कोई उस्ताद नहीं
सीख रहा हूँ, कह कह के

क्यों न परचम सा फहरूँ
मैं भी हवा में बह बह के

मुँह से यह क्या निकल गया
सोच रहा हूँ, कह कह के

फ़स्ल थी तैयार, ओले पड़ गये
खेत के तन पर फफोले पड़ गये

मेरी मायूसी सोहागन हो गयी
दिल के घर पे, ग़म के डोले पड़ गये

छा गयी आँखों में सावन की घटा
किसकी यादों के हिंडोले पड़ गये

आ गया जंगल से तो बचकर हिरन
राह में भीलों के टोले पड़ गये

भर गया इन्सान में इतना ज़हर
साँप-बिच्छू आज भोले पड़ गये

हर तरह से ठोस थे बातों में वो
वक़्त जब आया तो पोले पड़ गये

आत्म संताप की तरह हैं हम
सिर चढ़े पाप की तरह हैं हम

वक़्त के इस उजाड़ जंगल में,
एक पदचाप की तरह हैं हम

ज़िन्दगी है ठगी अहिल्या सी,
गौतमी शाप की तरह हैं हम

सारा संसार एक सुमिरनी है
अनवरत जाप की तरह हैं हम

ध्यान हम पर भी दीजिए साहब,
आदमी आप की तरह हैं हम

फ़र्क़ आयेगा क्या दिवाने में
ज़िंदगी, तेरे क़ैदख़ाने में

वो लगे हैं हँसी उड़ाने में
गिर पड़े हम जिन्हें उठाने में

मेरी नाकामियाँ लगी ही रहीं,
हर घड़ी हौसला बढ़ाने में

मिट गया भीग कर पसीने से
नाम लिक्खा था दाने दाने में

पत्थरों का जवाब है पत्थर
सर तुड़ाओ न सर बचाने में

आज फिर उठ गये बहुत जल्दी
छोड़ कर ख़ुद को हम सिरहाने में

अजनबी चेहरों का मेला हो गया
भीड़ में फँस कर अकेला हो गया

जब रूका तो भीड़ बन कर रह गया
जब चला तो एक रेला हो गया

आज को तो आज तक देखा नहीं
कल का था, कल का झमेला हो गया

नींव का पत्थर समझते थे जिसे
वह किन्हीं हाथों का ढेला हो गया

कोठियाँ छूने लगीं आकाश को
घर मवेशी का तबेला हो गया

जिसको जीता हूँ वह ज़िन्दगानी नहीं
मेरी अपनी कहानी कहानी नहीं

दे के राहत न आहत किया कीजिए
हमको हक़ चाहिए मेहरबानी नहीं

दर्द पेड़ों का हमको सताता नहीं
काश आती ज़ुबाँ, बेज़ुबानी नहीं

अहमियत क्या वो समझेगा परवाज़ की
जिसने देखी कभी परफ़िशानी नहीं

साफ़ हो गर हमारी तुम्हारी नज़र
इन धुंधलकों का फिर कोई मानी नहीं

दाग़ दामन के धो के छुड़ा दे मेरे
इतना सातों समन्दर में पानी नहीं

बेकार सर ना खाओ, मेरे सर में दर्द है
चुपचाप सर दबाओ मेरे सर में दर्द हैं

पूछो ना वजह दर्द की, मैं क्या बताऊँगा
मुझमें न सर खपाओ मेरे सर में दर्द है

पटको वहाँ सर अपना, जहाँ मिल सके दवा
सर मत फ़क़त खुजाओ मेरे सर में दर्द है

जो सर पे चढ़ के बोले, दवा दो, पर हर दवा
सर पर न आज़माओ, मेरे सर में दर्द है

घर सर पे क्यों उठाये हुए हैं बिलावजह
इन को न सर चढ़ाओ, मेरे सर में दर्द है

आये मिज़ाज पूछने, सर दर्द बन गये
ऐसों से सर छुड़ाओ मेरे सर में दर्द है

जो सर झटक के चल दिये, जाएँ वो भाँड़ में
तुम तो न सर उठाओ मेरे सर में दर्द है

धज्जी धज्जी हुए कफ़न फट कर कीलों की बस्ती में
कैसे अपनी लाश बचायें, हम चीलों की बस्ती में

अपनी ही गलियों में चलने पर ऐसा क्यों लगता है
जैसे हिरन भटक कर आया हो भीलों की बस्ती में

भेजा गया जिन्हें था समतल करने उबड़ खाबड़ को
आकर बन बैठे हैं पर्वत वो टीलों की बस्ती में

गहरे तल में बैठी प्यासी रेतों से पूछे कोई
कितने रेगिस्तान छुपे हैं इन झीलों की बस्ती में

पत्थर ढोने वाले हाथों की रेखायें कहती हैं
कोई राम नहीं आयेगा, नल-नीलों की बस्ती में

नई रोशनी लेकर आये हैं वो नये ज़माने की
नये अंधेरे छाएँगे फिर कन्दीलों की बस्ती में

क्या शाख़े गुल वो है कि जो काँटों लदी ना हो
महफ़िल वो क्या जहाँ कोई ज़िक्रे बदी ना हो

पानी को नहीं बल्कि रवानी को देखिए
उथली जो लग रही है, पहाड़ी नदी ना हो

बनने को ख़ाकसार नहीं उज्र है मगर
कैसे झुकेगी डाल, जो फल से लदी ना हो

कोई भी अपने आप से बाहर नहीं मिला
ऐसा नहीं क्या जिसकी कोई चौहदी ना हो

यह सोच बुत बने हैं पुजाने के वास्ते
अपने से किसी की कोई नेकी बदी ना हो

एक पल भी आज तक मुझे अपना नहीं लगा
मैं जी रहा हूँ जिसमें, पराई सदी ना हो

कीजिए मत कमाल की उम्मीद
हमसे ऐसे ख़याल की उम्मीद

बन के चूहे, कुतर रहे हैं वही
जिनसे थी देखभाल की उम्मीद

राजधानी में ख़ूब बरसा है
अब नहीं है अकाल की उम्मीद

मेरी बस्ती में सिर्फ़ गूँगे हैं
कीजिए मत सवाल की उम्मीद

इन धमाकों के शहर में बस कर
क्या रखें जान-माल की उम्मीद

सब्र करना पड़ा कटोरे से
ले के आये थे थाल की उम्मीद

थोड़ी बिगड़ी है, कोई बात नहीं
है अभी बोलचाल की उम्मीद

सोचता बस वह नफ़ा नुकसान है
आदमी है, या कोई दुकान है

अब कहाँ चिड़िया बनाए घोंसला
कोई खिड़की है न रौशनदान है

हैं बहुत ख़ामोश इस बस्ती के लोग
सबके अंदर इक न इक तूफ़ान है

ग़म बढ़ाता है, ग़लत करता नहीं
ग़म ग़लत करने का जो सामान है

भीड़, धक्का, शोर, बदबू, गंदगी,
जिन्दगी की अब यही पहचान है

उसको देखा था, उसका डर देखा
आज हथियार उसके घर देखा

इतना दहशतज़दा था मैं उस रात
ख़्वाब भी चौंक-चौंक कर देखा

उस जली बेकसों की बस्ती में
राख के ढेर में शरर देखा

उसमें तूफ़ान जज़्ब थे लाखों
उसके भीतर जो इक भँवर देखा

आदमी की हवेलियाँ देखी
आदमीयत का खण्डहर देखा

काश ये गुत्थियाँ सुलझ जातीं
मैंने ऐसा भी चाह कर देखा

अना की गाँठ में जकड़े हुए हैं
वो मुर्दे की तरह अकड़े हुए हैं

इसी में फँस के मर जायेंगे इक दिन
वो अपने जाल के मकड़े हुए हैं

फहरते थे मिनारों पर दिलों के
महज़ रंगों के अब कपड़े हुए हैं

उखाड़ें ना कहीं ये जड़ से हम को
जो मुद्दे आज जड़ पकड़े हुए हैं

करेंगे कल वो कर्फ़्यू की वकालत
शहर में आज जो झगड़े हुए हैं

जो गोशे थे गुलों की वादियों के
दरिंदों के खुले जबड़े हुए हैं

ज़िन्दगी उसके संग होती है
जिसके दिल में उमंग होती है

आप मायूस ना हों, मायूसी
बंद अंधी सुरंग होती है

इस घुटन से न आप घबराएँ
यह गली और तंग होती है

कहाँ जायेंगे भाग कर उससे
अपने अंदर जो जंग होती है

झूठ की छोड़िए भी बैसाखी
रूह इससे अपंग होती है

देखते हैं जो छेद औरों क़े
उनके घर में सुरंग होती है

ग़ैर लड़ते तो कोई बात नहीं
आज अपनों में जंग होती है

कौन करता है कहाँ भूल उन्हें क्या मालूम
वो तो अपने में हैं मशग़ूल उन्हें क्या मालूम

ये तो तूफ़ान के आने की पेशबंदी है
तान रक्खे हैं जो मस्तूल उन्हें क्या मालूम

उनकी दुनिया तो है महदूद महज़ गमलों तक
क्या बयाबाँ के हैं बनफूल उन्हें क्या मालूम

चूप हूँ कुछ सोच के वर्ना ये सवालों के जवाब
है मेरे पास भी माकूल उन्हें क्या मालूम

वो समझते हैं फ़क़त हमको फटीचर शायर
हम भी अब हो गये मक़बूल उन्हें क्या मालूम

वक़्त के साथ मैं सुलह कर लूँ
या ज़माने से फिर कलह कर लूँ

फिर कोई मोर्चा सम्भालूँगा
पहले अपने को तो फ़तह कर लूँ

मैं अकेला नहीं अकेले में
साथ फिर क्यों बिलावजह कर लूँ

किस को क़ुर्बां करूँ, सब अपने हैं
क्यों न अपने ही को ज़िबह कर लूँ

ज़ेहन तक तो पहुँच ही जाऊँगा
उसके दिल में अगर जगह कर लूँ

फाड़ ही देना पढ़ के, लिक्खा था,
दिल मगर कह रहा है, तह कर लूँ

खुद को चलने में वो लाचार समझ बैठे हैं
बिन चले राह को पुरख़ार समझ बैठे हैं

हम तो दुश्वार को समझे नहीं दुश्वार कभी
लोग आसान को दुश्वार समझ बैठे हैं

कोई समझाए तो समझाए भी कैसे उनको
खुद जो अपने को समझदार समझ बैठे हैं

उसकी बुनियाद भरी है वहम के रोड़ों से
बीच की हम जिसे दीवार समझ बैठे हैं

आप कहते हैं वो सूरत पकड़ नहीं सकते
आप उनको भी क्या लाचार समझ बैठे हैं

उसके भीतर भी कभी झाँक के देखा होता
आप अपना जिसे किरदार समझ बैठे हैं

कद्रदानी पे हँसी आती है उनकी मुझको
जो रवायत को ही अशआर समझ बैठे हैं

ताज़ा कहते हैं सुनाने को हमेशा मुझको
मेरी ग़ज़लों को क्या अख़बार समझ बैठे हैं

मुझे फ़ख़्र है मैं कहीं का तो हूँ
नहीं आसमां का, ज़मीं का तो हूँ

भले ख़ैरख़्वाह मुझको समझो ना तुम
मगर आदमी मैं यक़ीं का तो हूँ

ना बोलो सही पर, हिला सर तो दो
मैं हक़दार हाँ या नहीं का तो हूँ

ग़ज़ल मेरी बेपर्दा होती नहीं
किसी एक पर्दानशीं का तो हूँ

ये माना, नहीं हूँ अदब में कहीं
शग़ल अपने कुछ नुक़्ताचीं का तो हूँ

दूसरों से जनाब ज़्यादा हैं
आदमी कम, किताब ज़्यादा हैं

सुन न पाये, कि बोल देते हैं
आप हाजिरजवाब ज़्यादा हैं

उनको आता है दंद-फंद बहुत
हमसे वो क़ामयाब ज़्यादा हैं

वो हक़ीक़त से आँख मूंदे हैं
उनकी आँखों में ख़्वाब ज़्यादा हैं

आप नौका-बिहार मत करिए
ठूँठवाले तलाब ज़्यादा हैं

जब हम अच्छों को गिन नहीं पाये
कैसे कह दें, ख़राब ज़्यादा हैं

कौन किसका यहाँ पे संगी है
जिसको देखो, वही दुरंगी है

क्या चलें हम, क़दम क़दम पे यहाँ
दोस्तों-दुश्मनों की लंगी है

अम्न के फाख़्ते उड़ाओ मत
आज का आसमान जंगी है

मेरे पुरखों से काटता है मुझे
मेरे अंदर जो इक फिरंगी है

अपनी फ़ितरत में और सब कुछ है
सिर्फ़ ईमान की ही तंगी है

मैं मर चुका हूँ इसका वो ज़िन्दा सुबूत था
भागा था जिससे डर के, वो मेरा ही भूत था

जलने के बाद, हो गया मैं उससे हमवजूद
मिट्टी में रम गया मैं, चिता का भभूत था

ज़िन्दा था, तो सलीब पर लटका दिया गया
जब मर गया, तो कहने लगे, देवदूत था

फिर भी ख़रीद पाया ना, दो पल की ज़िन्दगी
कहते हैं, उसके पास ख़ज़ाना अकूत था

बेटों के हाथ से जिसे तर्पण नहीं मिला
सोचो क्या अपने बाप का वह भी सपूत था

ऐशो-इशरत की ही फ़रमाइश नहीं
ज़िन्दगी ऐय्याश की ख़्वाहिश नहीं

दूसरों के नापते हैं क़द, मगर
अपनी ख़ातिर कोई पैमाइश नहीं

उस फ़सल के ज़िक्र से क्या फ़ायदा
इस ज़मीं पे जिसकी पैदाइश नहीं

शेर होता है ख़यालो-सोच से
शायरी लफ़्ज़ों की आराइश नहीं

क्या यहाँ बोलें, रवायत के सिवा
कुछ नया कहने की गुंजाइश नहीं

है ये लोहू-लुहान ठीक नहीं
आज का आसमान ठीक नहीं

गिर पड़ोगे लुढ़क के मुँह के बल
बेपरों की उड़ान ठीक नहीं

ख़ून में ही रही ना जब गर्मी
प्यालियों में उफ़ान ठीक नहीं

अब तो उबरो मुग़ालते से तुम
झूठ की आनबान ठीक नहीं

मुँह से कह देना ठीक है, लेकिन
दिल में रखना गुमान ठीक नहीं

ठीक क्या है, तुम्हीं बताओ फिर
जब किसी का बयान ठीक नहीं

दिल से मिलता है वह, मिलूँगा ही
माना उसकी जुबान ठीक नहीं

भूल अपने को, तुम ज़माने पर
इतना देते हो ध्यान, ठीक नहीं

थोड़ी अपनी भी तैश की लत है
थोड़ी उसकी जुबान ठीक नहीं

हमने माना हो क़ाबिले-तारीफ़
अपने मुँह से बखान ठीक नहीं

आप तलवार की ख़ूबी देखें
क्या हुआ, गर मयान ठीक नहीं

आदमी बस मकीन होता है
खुद को समझो मकान ठीक नहीं

ठीक क्या है, ये जब नहीं जाना
कैसे कह दूँ, जहान ठीक नहीं

वो आख़िर क्यों समझता यह नहीं है
समझता है जो ख़ुद को, वह नहीं है

बिगड़ जाते हैं वो बिगड़े हुओं पर
कि जैसे उनकी कोई शह नहीं है

हिक़ारत से नज़र उसने फिरा ली
मेरे कपड़ों में शायद तह नहीं है

डुबो देती है घुटने भर चढ़े तो
पहाड़ी इस नदी में दह नहीं है

अभी मत मंत्र मंगल के उचारो
अभी आकाश में शुभ ग्रह नहीं हैं

निकाला अर्क़ है दिल के रगों का
ग़ज़ल शेरों का ही संग्रह नहीं है

अपने लिए जो खेंची है उस हद के आसपास
रहता है हर कोई किसी मक़सद के आस पास

है मुल्क का निज़ाम अपाहिज के हाथ में
बैसाखियों की बाड़ है संसद के आस पास

ऊँची उड़ान वालों के चर्चे हैं इन दिनों
बुनियाद ढूँढते हैं जो गुम्बद के आस पास

मैं था कि अपने आप में सिकुड़ा हुआ सा था
वो चाहते थे मुझको मेरे क़द के आस पास

कथरी बिछा के लेट गया नीम के तले
सब ढूँढते रहे मुझे मसनद के आस पास

सर्द माहौल है, ख़मोशी है
बस दिखावे की गर्मजोशी है

उनके घर में बहार रहती है
जिनका धंधा चमनफ़रोशी है

है हिमायत पे सख़्त पाबंदी
और बग़ावत पे ताजपोशी है

उनके मुँह से उसूल की बातें
इक ख़याली सफ़ेदपोशी है

बन गये इस सदी के वाइज़ वे
जिनका पेशा शराबनोशी है

मुझको क़तरा जो बनाता है मेरा डर ही तो है
वर्ना क़तरा भी हक़ीक़त में समन्दर ही तो है

मैं रहूँ या कि चला जाऊँ कोई फ़र्क़ नहीं
मेरा रहना भी न रहने के बराबर ही तो है

मैं परिन्दे की तरह क्यों डरूँ बिजूखे से
वजूद उसका महज़ इक लिबास भर ही तो है

गर ना चुभता तो मेरे पाँव भटक ही जाते
हर किसी राह का काँटा मेरा रहबर ही तो है

तुमने चाहा तो, भला हो मेरा, लेकिन न हुआ
क्या करे कोई मेरा ऐसा मुक़द्दर ही तो है

हाँ हमारे भी सितारे थे बुलंदी पे कभी
अब हुए ख़ाक तो ये वक़्त का चक्कर ही तो है

देता हूँ यह बयान मैं होशोहवास में
काँटे छुपे हुए हैं गुलों के लिबास में

सुकरात इस सदी का बनेगा कोई ज़रूर
भरने तो दो ज़हर ज़रा ख़ाली गिलास में

तेरी हँसी पंजे में उसे दाब ले उड़ी
दुबकी थी एक चीख़ मेरे दिल के पास में

पानी के थपेड़ों ने किनारे पटक दिया
मौजों से लड़ रहा था मैं तिनके की आस में

नदियाँ तमाम आके उसी में सिमट गई
फिर भी पड़ा ना फ़र्क़ समन्दर की प्यास में

चाहा कि पूरे दौर की तस्वीर खींच दूँ
अटती नहीं ग़ज़ल के मगर कैनवास में

वो अपने हाल पे राज़ी नहीं है
नहीं तो कोई मोहताजी नहीं है

इसे यूँ ही समझ हल्का न लेना
मेरी चुप्पी में लफ़्फ़ाज़ी नहीं है

गुलों की फ़स्ल तो अच्छी है लेकिन
हवा इस बाग़ की ताज़ी नहीं है

वहाँ जाने लगा लाचार होकर
जहाँ जाने का मेरा जी नही है

उकेर आया हूँ मैं पत्थर में खुद को
मेरी यह खोज अंदाज़ी नहीं है

कितने खेतों का खून खींचा सर
आपके लॉन का गलीचा सर

हमको जन्नत के बाग याद आये
देख कर आप का बगीचा सर

आप आये थे इन्द्र बन के, पर
अपने गमलों सिर्फ सींचा सर

नाव में घुस रहा था जब पानी
तब कहीं आपने उलीचा सर

आपने राई को तो देख लिया
पर पहाड़ों से आँख मींचा सर

वाक़ई आप हैं इतने ऊँचे
आपको हम दिखायें नीचा सर

आपको हम कहाँ से देखेंगे
आपनी खिड़की है न दरीचा सर

चाह रेष्म की साड़ियों सी है
राह काँटों की झाड़ियों सी है

रोज़ खुलती है, बंद होती है
रात काली, किवाड़ियों सी है

झूठ की सरज़मी पे सच्चाई
खुश्क नंगी पहाड़ियों सी है

कट ना जाऊँ दरख़्त की मानिंद
उसकी कोशिश कुल्हाड़ियों सी है

उसकी महफिल में हैसियत अपनी
शहर में बैलगाड़ियों सी है

शर्त हर बात पे लगाता है
उसकी फ़ितरत जुआड़ियों सी है

ग़म के बाज़ार में हमारी भी
साख अब मारवाड़ियों सी है

मेरी ओर से कोई धोका नहीं था
ख़ुद अपने पे उसको भरोसा नहीं था

जो सोचा था, वह कह न पाया, मिले जब
वहीं मुँह से निकला, जो सोचा नहीं था

वहीं पर ज़मीं हमने तोड़ी अभी तक
जहाँ कोई पानी का सोता नहीं था

हर इक चीज़ थी उस इमारत में लेकिन
कमी बस यही थी, झरोखा नहीं था

हर तरफ से जमा रहा है वह
लहरें गिन कर कमा रहा है वह

धुन में पाने के, उसको क्या मालूम
अपना क्या-क्या गुमा रहा है वह

चलती फिरती मशीन है अब तो
हाँ, कभी आत्मा रहा है वह

ऊब जाता है क्यों घड़ी भर में
मन जहाँ भी रमा रहा है वह

दोस्ती अब नहीं रही शायद
दोस्त को आज़मा रहा है वह

कहाँ फूलों के दरमियान रहे
जो उसूलों के दरमियान रहे

हम तो केलों के पात जैसे थे
पर बबूलों के दरमियान रहे

काफ़िले तक पहुँच नहीं पाये
उड़ती धूलों के दरमियान रहे

फिर भी अपनी जड़ें नहीं खोईं
हम बगूलों के दरमियान रहे

साथ रहने की, की थी भूल कभी
अपनी भूलों के दरमियान रहे

मोल होता नहीं पसीनों का
यह ज़माना तो है मशीनों का

ख़ूब करतब दिखा रहे हैं वो
देखकर रूख़ तमाशबीनों का

सिर्फ लफ़्ज़ों के खेल होते हैं
यार मजमा है यह ज़हीनों का

लोग घुसकर गटर में क्यों अक्सर
रास्ता ढूँढते हैं ज़ीनों का

और नाचीज़ हो गई दुनिया
हाथ थामा जो बेहतरीनों का

घर में रहकर भी घर नहीं दिखता
वह तो आदी है दूरबीनों का

वो जो सिर बार बार घिसता है
उसका चौखट से कोई रिश्ता है

एक दाने हैं सब, हैं फ़र्क़ यही
किसकी चक्की में कौन पिसता है

जब पहुँचती है चोट ग़ैरत पे
दिल के ज़ख़्मों से ख़ून रिसता है

झाड़ता है उसूल बातों में
आज कल हर कोई फ़रिश्ता है

रहा मैं सदा सब्ज़ मंज़र का आदी
मुझे खींचते हैं पहाड़ और वादी

महज़ इत्तफ़ाक़न नहीं आग भड़की
कुछ हमने हवा दी कुछ तुमने हवा दी

हमें ऐ सुबह बूंद भर ओस देकर
पिटाओ न दरियादिली की मुनादी

उसे अपनी ग़लती का अहसास तो है
नहीं बोल कर मैंने उसको सज़ा दी

जो आया यहाँ उसको जाना पड़ेगा
हरेक चीज़ है इस जहाँ की मियादी

छत के ऊपर ज़रा चढ़ा जाए
चलिए, आकाश को पढ़ा जाए

एक जैसी है सूरतें सब की
कोई चेहरा अलग गढ़ा जाए

आ के मंज़िल पे क्यों ये लगता है
और आगे अभी बढ़ा जाए

धुंधली तस्वीर बोलती है मुझे
अब नये फ्रेम में मढ़ा जाए

घर बस्ती जंगल पानी में
सब के सब जलथल पानी में

डूबा हुआ महल पानी में
झलके साफ अतल पानी में

शायद है दलदल पानी में
खिलने लगे कमल पानी में

खड़ी रहेगी सिर तक डूबी
कब तक खड़ी फ़सल पानी में

हवा लहर को छेड़ रही है
लहराये आँचल पानी में

हाथी घोड़ा गुफ़ा पहाड़ी
बना रहे बादल पानी में

आज फूलकर तैर रही है
डूबी थी जो कल पानी में

अपने दुःख की फेंक कंकरी
मचा न तू हलचल पानी में

रौब बुड्ढे बाप पर तू मत जमा बेटे मेरे
अब सयाना हो गया कुछ तो कमा बेटे मेरे

ढूँढ ले तू रास्ता अपना, उजाला है अभी
देर तक जल पायेगी ना ये शमा बेटे मेरे

मर गये अपने लिये कब, याद तक हमको नही
जी रहे हैं हम महज़ तुझमें समा बेटे मेरे

बच गयी बिकने से घर की लाज तो बाज़ार में
ख़ुश बहुत हूँ बेचकर मैं आत्मा बेटे मेरे

सर उठाकर देख ऊपर आसमां की दूरियाँ
मत पकड़ तू आइने में चन्द्रमा बेटे मेर

कम न होंगे ज़िन्दगी भर काम री बिटिया
है नहीं तकदीर में आराम री बिटिया

मायके से आ गयी जब से बहू रानी
और ज़्यादा बढ़ गया है काम री बिटिया

कोख मेरी अजनबी लगने लगी उसको
भा गई कितनी पराई चाम री बिटिया

छाँह शायद अब कहीं बाहर मिले हमको
घर के अंदर लग रही है घाम री बिटिया

जी रहे हैं इस तरह, परदेस में जैसे
कट रही हो जिन्दगी की शाम री बिटिया

नागफनियाँ खा गयीं तुलसी के बिरवे को
दब गये कूडे में शालिग्राम री बिटिया

वो झूठी आन के रंगीन संगमरमर पे बैठे हैं
अभी तक शान से ढहते हुये खंड्हर पे बैठे हैं

कहीं ले जा के बैठायें उन्हें क्या फ़र्क पड़ता है
कभी कथरी कभी जो मख़मली चादर पे बैठे हैं

ठिकाना पूछिए मत हम फ़कीरों का ठिकाना क्या
कभी इस दर पे बैठे हैं कभी उस दर पे बैठे हैं

करें परवाह वे जो यह समझते हैं कि रहना है
हमें क्या फ़र्क़ पडता है बंधे बिस्तर पे बैठे हैं

सुलाया आसमां ने ख़ाक में हमको तो इससे क्या
हमारे ख्वाब तो अब तक महोअख़्तर पे बैठे हैं

धमाका मत करे आकर अभी ख़लवत में कोई भी
ख़यालों के परिंदे ज़ेहन के पोखर पे बैठे हैं

किनारे स्याह दरिया के किसी की याद में खोए
अंधेरी रात के सुनसान में पत्थर पे बैठे है

करने का बंदोबस्त रहा कुछ नहीं किया
खुशफ़हमियों में मस्त रहा कुछ नहीं किया

टापू से अपने में कभी बाहर न आ सका
सरहद पे करता गश्त रहा कुछ नहीं किया

सूरज हूँ एक ऐसा जो अब तक उगा नहीं
मैं बादलों में अस्त रहा कुछ नहीं किया

दौलत मिली हुई थी विरासत में बशुमार
फिर भी मैं तंगदस्त रहा कुछ नहीं किया

जाऊँगा जब यहाँ से, कहेंगे गली के लोग
जब तक रहा वो, मस्त रहा कुछ नहीं किया

उम्र का रास्ता ढलान पे है
हौसला फिर भी आसमान पे है

मेरे रग रग में अब भी पहले सी
इक पहाड़ी नदी उफ़ान पे है

एक दिन हो तो कोई बात नहीं
रोज़ आफ़त हमारी जान पे है

कितना दिल का अमीर है वो भी
मुफ़लिसी में भी अपनी आन पे है

तेरी बातों के मैं ख़िलाफ़ नहीं
उज्र तो तर्ज़-ओ-बयान पे है

थक के सोने चला गया सूरज
इक परिंदा मगर उड़ान पे है

तन को ढकने की कोई चीज़ तो है
यार, घुटने तलक कमीज़ तो है

वो न पिघला, ये सच है पर उसको
अपनी पत्थरदिली पे खीज तो है

छोड़े कैसे, वहाँ मिले ना मिले
कोई अपना यहाँ अज़ीज़ तो है

क्या हुआ, गर बदल गया गुंबद
सर रगड़ने को देहलीज़ तो है

बेअदब दोस्त से बेहतर है वो
दुश्मनी की उसे तमीज़ तो है

सारा खलिहान जल गया तो क्या
मेरी मुट्ठी में बंद बीज तो है

हादसों से उबर नहीं पाया
रोज़ मर के भी मर नहीं पया

छोड़ कर मैं चला गया था जिसे
लौट कर फिर वो घर नहीं पाया

मैं वो जम्हूरियत का परचम हूँ
जो अभी तक फहर नहीं पाया

सिर्फ उड़ता रहा हवा में मैं
शौक़ के पर कतर नहीं पाया

वो समन्दर था उसमें सब कुछ था
मैं ही गहरे उतर नहीं पाया

मैं था जैसे ख़ला में सय्यारा
एक पल भी ठहर नहीं पाया

वक़्त सबसे बड़ा हक़ीम है पर
मेरे ज़ख़्मों को भर नहीं पाया

उसको फँसना ज़रूर था लेकिन
बच गया, कुछ क़सूर था लेकिन

मैंने पत्थर समझ के फेंक दिया
हाथ में कोहिनूर था लेकिन

आपके वास्ते नहीं था कुछ
ख़ुद पे मुझको गुरूर था लेकिन

इक झलक फिर भी मैने देख लिया
मेरी आँखों से दूर था लेकिन

हाँ दलीलें थीं ख़ूब उसके पास
वो हक़ीक़त से दूर था लेकिन

उसकी ख़ूबी थी उसकी बेबाकी
वो बड़ा बेशऊर था लेकिन

अपने पैरों को देखकर रोया
ख़ूबसूरत मयूर था लेकिन

अक्लमंदी जिसे समझते थे
इक दिमाग़ी फ़ितूर था लेकिन

मुझको जल्वा ना देखना भाया
पास ही कोहेतूर था लेकिन

मुझको बेचैन कह दिया सबने
मेरे दिल में सबूर था लेकिन

दिल के सारे छुपे राज़ को आम करे
मेरा अपना शेर मुझे बदनाम करे

थोड़ा सा गुस्सा रखना भी वाजिब है
हो सकता है ज़हर दवा का काम करे

बड़े जतन से पाल रहा हूँ मैं ग़म को
शायद आगे चल कर बंदा नाम करे

बहुत थक गया होगा मुझे डुबाने में
तूफ़ां से जाकर कह दो आराम करे

हम भी ताब लिए आँखों में बैठे हैं
कोई उससे कह दो जल्वा आम करे

इन ग़ज़लों की अमराई में कोई भी
आये दो पल बैठे और आराम करे

अब ये पौधा बढ़े बढ़े न बढे
बेल छत पर चढ़े चढ़े न चढ़े

झूठ आगे बढ़े बढ़े ना बढ़े
वो बहाने गढ़े गढ़े ना गढ़े

ऐलबम में जरूर रखेगा
मेरा फोटो मढ़े मढे ना मढ़े

मेरे अंदर का मस्त संगतराश
कोई मूरत गढ़े गढ़े ना गढ़े

मेरे अशआर को ही पढ़ ले बस
नाम मेरा पढ़े पढ़े ना पढ़े

सोच कर यह हुआ नशा काफूर
यह नशा फिर चढ़े चढ़े ना चढ़े

कितने मजबूर हो गये होंगे
खुद से जब दूर हो गये होंगे

आइना खुद को जो बताते थे
टूटकर चूर हो गये होंगे

बेवफा क्यों कहें किसी को हम
वो भी मजबूर हो गये होंगे

सुन के तारीफ़ ग़ैर के मुँह से
और मग़रूर हो गये होंगे

थोड़ी रंजिश थी इल्म किन को था
ज़ख़्म नासूर हो गये होंगे

चहचहाहट के शोर तक आकर
थम गया वक़्त भोर तक आकर

छिन गयी रेशमी छुअन मुझसे
मेरी उंगली के पोर तक आकर

इक मचलती लहर थी लौट गई
मेरी पलकों के कोर तक आकर

हो गई ग़र्क़ चाह की कश्ती
दिल के उठते हिलोर तक आकर

हम जब तेरे खयाल में गहरे उतर गए,
आँखों के सामने कई चेहरे उभर गए।

बतला रही हैं आपके माथे की सलवटें,
कितना हिला के आपको तूफ़ाँ गुज़र गए।

छोटी हैं इन बुलंद दीवारों की चौखटें,
इस घर में जो वो झुका कर ही सर गए।

ये कह के न नाचेंगे किन्हीं उँगलियों पे हम,
धागे से टूट-टूट के दाने बिखर गए।

कैसे किसी लकीर को देखोगे ज्योतिषी,
मेरे तमाम हाथ तो छाहों से भर गए।

उन आईनों पे धूप की पर्तें चढ़ी मिलीं,
जिन आइनों के काँच से पारे उतर गए।

हैं ये क़तरे में समन्दर भी, झाँककर देखो
कभी तो लफ़्ज के अंदर भी झाँककर देखो।

सिर्फ़ सड़कें ही न देखो ग़ज़ल की वादी में
मेरे ख़याल के मंज़र भी झाँककर देखो।

यूँ तो शैतान का घर है ये दिल मगर इसमें
है एक मस्त कलंदर भी झाँककर देखो।

न फूलों देख के हाथों में उनके गुलदस्ते
छुपा गुलों में है खंज़र भी झाँककर देखो।

ज़मीं को जंग में करना फतह मगर पहले
है इसमें दफ़्न सिकंदर भी झाँककर देखो।

सफ़र है सफ़र में सबर रख के चल
कहाँ है तू इसकी ख़बर रख के चल।

कहीं तुझको बहका के भटका न दे
तू अपनी नज़र पर नज़र रख के चल।

चला ही है जो सच के रस्ते में तो
जवाँ मर्द जैसा जिगर रख के चल।

दुआ दिल की है कोई बोझा नहीं
ज़रुरत नहीं है मगर रख के चल।

जो कहना ही है तुझको, कह के ही उठ
न दिल में ज़रा भी कसर रख के चल।

खिंची आए मंज़िल जहाँ डग पड़े
तू पाँवों में इतना असर रख के चल।

मैं अपने को अक्सर मरा देखता हूँ
न पूछो ये क्या माज़रा देखता हूँ।

कभी देखता था जहाँ पर इमारत
वहीं आजकल मकबरा देखता हूँ।

ये माटी के पुतले कहीं गल न जाएँ
हर इक सिम्त पानी भरा देखता हूँ।

कोई हादसा हो गया क्या शहर में
जिसे देखता हूँ डरा देखता हूँ।

यही सोचकर कोई बाहर तो होगा
हरेक शख़्स का कटघरा देखता हूँ।

मेरे दिल को मिलता है थोड़ी-सी ठंडक
किसी पेड़ को जब हरा देखता हूँ।

कैसी मिली है हमको विरासत में ज़िंदगी
कटती है साँस-साँस हिरासत में ज़िंदगी

देखें क्या गुल खिलाएगा अब ताज़िराते बक़्त
है कटघरे के बीच, अदालत में ज़िंदगी

खतरे के अंदेशे से, धड़कता ही रहा दिल
हरदम पड़ी रही मेरी साँसत में ज़िंदगी

फिर भी हैं फरिश्ते ही वे, जिनकी गुजर गई
शैतान की तरफ से वकालत में ज़िंदगी

खिड़की से जो झाँका तो लगा,क्यों गुज़ार दी
खुशफ़हमियों की, बंद इमारत में ज़िंदगी

राह घनघोर है, जहाँ मैं हूँ
धुंध हर ओर हैं, जहाँ मैं हूँ

कान देता नहीं कहीं कोई
शोर ही शोर है, जहाँ मैं हूँ

मन मरुस्थल की तरह सूखा है
तन सराबोर है, जहाँ मैं हूँ

ऐसी गुत्थी है ज़िंदगी जिसका
ओर ना छोर है, जहाँ मैं हूँ

सिर्फ मैं ही नहीं अंधेरे में
हर कोई चोर है, जहाँ मैं हूँ

पैर मज़बूत है, कुचलते हैं
हाथ कमज़ोर है, जहाँ मैं हूँ,

तन को ढँकने की कोई चीज़ तो है
यार, घुटने तलक कमीज़ तो है

वो न पिघला, ये सच है पर उसको
अपनी पत्थरदिली पर खीज तो है

छोड़ें, कैसे, वहाँ मिले न मिले
कोई अपना यहाँ अजीज़ तो है

क्या हुआ, गर बदल गया गुम्बद
सर रगड़ने को देहलीज़ तो है

बेअदब दोस्त से बेहतर है वो
दुश्मनी की उसे मीज़ तो है।

सारा खलिहान जल गया तो क्या
मेरी मुट्ठी में बंद बीज तो है

बिछ के अपने थके जिस्म को बिस्तर की तरह
सो गए ओढ़ के हम नींद को चादर की तरह

भागता हूँ जो उजाले से तो मेरा साया
दौड़ता है मेरे आगे किसी रहबर की तरह

अपने हाथों पे भी होता नहीं है आज यहीं
ये धँस न जाएँ कहीं पीठ में खंजर की तरह

आज उन अपने उसूलों को रेहन रख आया
बड़े जतन से रखा था जिन्हें ज़ेवर की तरह

इसे उतार के हल्का भी मुझको होना है
मेरा वजूद मेरे सर पे हैं। गट्ठर की तरह

खुश्क जंगल के मर गई सड़कें
ज़र्द पत्तों से भर गई सड़के

जाने कैसी घड़ी में निकली थीं
लौट कर फिर न घर गईं सड़कें

जितना दहशत भरा था सन्नाटा
अपने आहट से डर गईं सड़कें

दूर टीले तलक दिखीं जाते
फिर न जाने किधर गईं सड़कें

पर्वत की तलहटी सघन वन से आच्छादित
मुख्य मार्ग से दूर मील भर गाँव बसाया
आदिम जाति विभाग में रहने को बुलवाया
आदिवासी कोरवाओं को जो हैं आरक्षित

दिया उन्हें हल बैल बीज और खेती बारी
बिजली बोरिंग पक्की सड़क तालाब बगीचा
नहर बना जिसका पानी खेतों तक खींचा
आते रहे सदा मन्त्री अफसर पटवारी

कुछ दिन तक तो रहे प्रेम से कोरवा सारे
खाते पीते मौज उड़ाते करमा गाते
पर कब तक अपने से हट त्यौहार मनाते
चकाचौंध और भीड़भाड़ से थक कर हारे

भाग सघनतम वन में ले मिट्टी की हँडिया
रहने लगे बनाकर वे पत्तों की मड़िया

दीघ गाँव गंगा के तट से आज अचानक
आए लच्छनधारी भईया, चन्नू शुक्ला
ने बतलाया, मैंने कहा—'बका मत नाहक'
कहा—'अपन आँखी से आवा चला देख ला'

भूल भुलैया में प्रश्नों के भटकी उलझी
मेरी बुद्धि को मिलती कोई राह नहीं थी
आए भईया लगा मुझे हर गुत्थी सुलझी
इस माने में उनकी कोई थाह नहीं थी

तरह तरह के प्रश्न समेटे उनसे मिलने
(कोने में शमशान घाट के उनकी कुटिया
बनी हुई थी) गया प्रणाम किया, पग छूने
लगा, उठा कर सहसा मुझको गले लगाया

हाल चाल ना पूछा, ना मैंने बतलाया
घंटों बैठे शब्द हमारे बीच न आया

जब से बढ़ा महत्त्व गाँव में पंचायत का
उप सरपंच कुअर बोले, परपंच हो गया
अपना हलवाहा करलू सरपंच हो गया
कैसा भी हो चक्कर क्यों न समय सायत का

कुँवर साहब का काम, नाम करलू का होगा
नया ख़रीदा गया ट्रैक्टर साझेदारी
में, कूर और कुँअर साहब की हिस्सेदारी
आँकी गई बराबर, लेकिन वह हलवाहा

साझे में अब जोत रहा है खेत कुँअर का
साझे में ही माल ट्रैक्टर से ढोता है
उसमें ही खाता पीता जगता सोता है
फार्म हाउस गैरेज पता है उसके घर का

उसके हिस्से में है छै सौ रुपए सालाना
रोज़ किलो भर अन्न और बचा हूठन खाना

लौट रहा था बीस बरस के बाद आज घर
मँगरू महतो, भीड़ ठसाठस भरी रेल से
कारागृह-सा महानगर के तंग सेल से
गुज़र रही थी रेल देख खिड़की के बाहर
हरे-भरे जंगल, पर्वत, नदियाँ, जल-पोखर
सहसा उसको अपने घर की याद आ गई
प्राणों में महुए की कच्ची गन्ध छा गई
झक उठे कुछ विगत दृश्यअंतस के पट पर

लगा उसे जल्दी पहुँचू जल्दी पहुँचूँ घर
तभी आ गया गाँव जहाँ सब बदल चुका था
धुआँ उगलने वाला अजगर निगल चुका था
गाँव हो गया शहर पेट में उसके पच कर

अच्छा नहीं लगा घर अपना तंग सेल से
तुरत कटाया टिकट लौट वह गया रेल से।

अभ्रक के चूरे काजल गृह छत पर छिटके
घोर घने सन्नाटे में जंगल दम साधे
फिर भी दो आदिवासी काँवर ले काँधे
चलते हैं चीते से बिनाक हीं भी ठिठके
नाले खोह पहाड़ लाँघते बढ़ते जाते
आगे-आगे पीछे पंक्ति सघन पेड़ों की
धुन में मस्त पकड़ राहे खेतों, मेड़ों की
हो उन्मुक्त ददरिया, सुआ, करमा गाते
को-काले धब्बे जैसे अंधकार में
पगडण्डी से होकर राजमार्ग तक आए
चिकनी समतल काली सड़क देख चकराए
आलोकित कर रहे लटक लट्टू कतार में
गई चपलता आँखों में छा गए धुँधलके
चुधियाए चीतल-सा चलते सँभल सँभल के।

जंगल था चुपचाप हवा कुछ बोल रही थी
ऊँघ रहा था ऊँचा बूढ़ा परवत बहरा
लँगड़े नाले का पानी था ठहरा ठहरा
तट पे अल्हड़ क्या कपड़े खोल रही थी
पानी में अँचरा से मछरी झोल रही थी
सूखी लकड़ी चुनने आईं ग्राम-किशोरी
लकर लंबी-लंबी मोहलाइन की डोरी
उनकी उपस्थित वन में रस घोल रही थी
बाँध रही थीं सूखे लक्कड़, टहनी चुन कर

तभी अचानक प्रकट हो गया खाकीधारी
बाघ सरीखी क्रूर लिए मुद्रा हत्यारी
फेंक भग गई ग्राम्याएँ झूरी के गट्ठर

नर-पशु का आतंक छा गया वन-अंचल में
जंगल का कानून हुआ लागू जंगल में।

भर पृथ्वी आकाश चिलम पर काल अघोरी
सूरज का गुल चढ़ा एक कश में पी डाला
प्रक्षेपित राकेट धूम्र-सा काला-काला
बिला गई घुल कर अनंत में पृथ्वी पूरी

मैं हतप्रभ-सा देख रहा था मूक साक्ष्य बन
संसर्गी, परिवार, मित्रजन नष्ट हो गए
जीव-जन्तु, नदियाँ, पहाड़ सब कहाँ खो गए
होकर भी अस्तित्व हो गया निरस्तित्व तन

ऐकान्तिक संताप के गहरे कृष्ण विवर में
ऐसा लगा मुझे मिल जाए काश ऊँचाई
कूद पड़ूँ तो डूब मरूँ ऐसी गहराई
नींद खुल गई तो मैं पड़े-पड़े बिस्तर में

सोच रहा था कि दिया सबक सपने का होना
दुनिया का होना ही है अपने का होना

बिला रहा चिमनी से निकले हुए धुएँ सा
स्याह अंधेरा, फूट रही किरणों की कोंपल
टहक रहे हैं नभ में फूल-फूल के सेमल
दिखने लगा पहाड़ दूर से हरे सुए-सा

नदी पहाड़ वनस्पतियों से छन कर निर्मल
हौले-हौले छू छू कर तन को सहलाएँ
माँ-सी जीवनगंधा संजीवनी हवाएँ
जागी नवस्फूर्ति हुआ तन-मन-सा चंचल

दसों दिशाओं में जागी जीवन की हलचल
चहक रही है पंछी बन चेतन की धड़कन
ओस नहाए सिहरे सिसकारे वन उपवन
विहँस उठे अभिनन्दन की मुद्रा में शतदल

सुबह हुई, उठ! शब्द कान में घोल रही है
अपने रोम-रोम से धरती बोल रही है

बारह बजने वाला था सोने की कोशिश
में, बिस्तर पर पड़े-पड़े मैं जाग रहा था
बेलगाम घोड़े जैसा मन भाग रहा था
इधर-उधर की लाग-डाट खुंदस औ' रंजिश

की सड़कों पर, करवट पर करवट लेता मैं
बड़े गौर से मन की गतिविधियों को, मन को
देख रहा था, इसके माध्यम से जीवन को
भी, पर कब तक अण्डे सा मन को सेंता मैं

सोचा करूँ ध्यान साँस के आने-जाने
पर, विचार साँसों की लय में रम जाएगा
होकर के लाचार चपल मन थम जाएगा
लगा इसी संकल्प को मैं अंदर दुहराने

तभी विचार यह रूप ग्रहण कर दृश्य हो गया
मैं लगता है स्वप्न देखते हुए सो गया

मैं अपने को अक्सर मरा देखता हूँ
न पूछो ये क्या माज़रा देखता हूँ

कभी देखता था जहाँ पर इमारत
वहीं आजकल मक़बरा देखता हूँ

ये माटी के पुतले कहीं गल न जाएँ
हर इक सिम्त पानी भरा देखता हूँ

कोई हादसा हो गया क्या शहर में
जिसे देखता हूँ, डरा देखता हूँ

यही सोचकर, कोई बाहर तो होगा
हरेक शख़्स का कटघरा देखता हूँ

मेरे दिल को मिलती है थोड़ी-सी ठंडक
किसी पेड़ को जब हरा देखता हूँ

गोखरू की शक्ल में तब्दील थी,
पाँव में कब से गड़ी यह कील थी।

ख़ुश्क रेतों के सिवा कुछ भी नहीं,
कल यहाँ एक खूबसूरत झील थी।

ख़ा गई सारी किरन की मछलियाँ,
बादलों की ओट में जो चील थी।

क्या अंधेरों ने सबक सिखला दिया,
रात हाथों में लिए कंदील थी।

अश्क आँखों में लिए गुल हँस पड़े,
खिलखिलाते हुक्म की तामील थी।

इक धुँधलका था, जो पर्दा बन गया,
ज़िंदगी वरना बहुत अश्लील थी।

घुट रही थी कई महीने से,
आज निकली तड़प जो सीने से।

दिल की मंजिल तलक पहुँचना था,
चढ़ गया मैं हँसी के ज़ीने से।

उम्र भर तैरना नहीं आता,
रखता गर वास्ता सफ़ीने से।

इससे बेहतर है पेड़ का साया,
तप रहा सायबान टीने से।

धुल गया रोम-रोम मेरा वजूद
कल नहाया जो मैं पसीने से।

अपना सुख-दुख सुना ही देता हूँ,
मैं लिपट कर ग़ज़ल के सीने से।